복숭아 판나코타식 사랑 고백

1부

2부

3부

4부

진청 치마를 입었지
남방은 옅은 노랑 체크무늬였어
사랑하는 흰 손가방을 들었고
느려터진 음악이 흘러나온 순간 생각했지

이건 누구의 장난일까

넌 말했지
오래전부터 지하의 소리를 만지고 있었다고
나도 들려줘

아 나는 귀가 없다

귀가 없는 버드나무로 태어나는 꿈을 꿔
판타지 소년 소녀는 죽지 않으니까
끝이라 발음해도 끝나지 않는 길에 서 있네

이 운명이 걸어지니

나는 자꾸 헛발질이다

_ 이음

1부

한 계절과 상록수
좋아한다고 말했던 입
그러나저러나 변심하는 사람
남기 위해 남기지만 초점 없이 흐려진다
이제부터 사랑에 대해 반성하려고

소국

우리가 기도할 때
그것이 종교가 아니고
염원이 아니고
하나의 형태일 때
두 눈 꼭 감고
기도하는 너의 모습을
곁눈질로 보고서
너라는 사람이
성실하고 숭고한 것임을
배워야 했지
나의 구원은
감은 눈과 작은 손
중얼거리는 입술
너의 진실에서 흘러나온
경구를 믿고 몸짓을 믿고
마음을 믿으면 나는
어느 세계에 도착해 있을까

교정과 초여름의 작은 과실들

교정을 걷는 우리가
몇 년도 몇 학기 사람들과 비슷할진 모르겠어

아는 것은 아무것도 없지만
내가 알게 된 것이 하나 있다면
비행하는 목련 잎과 그 순간을 밑줄 치려는

초여름 그리고 작은 과실들

눈부시게 틔워진 마음이 있다면
아직 이름 붙여지지 않았다면
너를 듣고 있었다고 대답해 줄게

변하는 건 없어
너는 내가 듣는 유일한 계절 학기야

느리게 걷고 느리게 대화하고
느리게 서로를 껴안지
가능하면 느리게 감각하고 싶어서

도서관에선 닳고 오래된 책 냄새가 난다

노르웨이 앤서니에게

7초간 숨을 참아본 적 있니
그리고 10초간 숨을 뱉었니

우리만 아는 비밀이 많아서
오늘 밤하늘에는 무지개가 뜰까

편지할게

이 무의미함을
이해해 줘

봄밤

턴테이블에서 한 여름의 분위기가 돈다

어제는 능소화가 발아하는 꿈

매일 같은 시간 골목을 지나가는
자전거 탄 소녀
소녀의 정수리 위로
햇빛이 피고 저문 자국이 선명하다

헤드셀이 밤의 온도를 더듬는 중에
능소화는 태양을 닮은 기지개 켤 준비를 하고

소녀는 페달을 힘차게 구른다

턴테이블이 멈추지 않는 한
우리는 다정하고 일정하게 인사한다

같은 시간 같은 기분으로

내일이라는 재즈풍 희망은

골목 곳곳을 순회하며 울려 퍼진다
소녀의 가벼운 옷차림을 떠올리는 일과
언젠가의 오르막길에서 흘릴 땀을 응원하는 일

전부 봄밤의 일이다

시지프스

1
파도 소리가 전부 네 것이었으면 해

소유하는 첫 번째 소리가 되어서
가진 것 없이도 서로를 이해할 수 있다면

어제는 거짓말 같은 영화 한 편을 봤어
오해와 상처가 없는

바위가 모래로 변하는 무한한 시간에 대해
생각해 본 적 있니

2
상처는 아물고
어설프게 회복되는 듯해도

걷잡을 수 없이 밀려들지

어떤 기억은 전염으로 다가와 오염으로 변한다

울긋불긋 일어선 손톱 거스러미는 그만 뜯고
차오른 울혈에 백사장을 덮어줄게

바다의 일부분으로 파도의 옆자리에 서서

3
세상엔 온통 가볍고 싶은 것들만 있어
너의 발자국을 보면 알게 되는 것들

영원이란 말은 지겹지만
영원이 아니라면 이해할 수 없는

숨… 휘파람… 목소리… 음악…

달려가자 해안선 끝에서 끝을

4
그리고 이 순간을 반복

우리 가끔 만나서

제가 시작한 이야기는 당신의 귀에서 마무리되고
당신이 시작한 이야기는 제가 간직하면 어떨까요

코너에 코너가 있고 맞은편에 맞은편이 있고
건너편에 건너편이 있는 골목과 거리를 함께 걷다 보면

우리에게 어떤 신발과 대화가 잘 어울릴까요

제게 빨강 단화가 있어요 늙고 해졌지만
당신이 이걸 본다면,

어디서든 알아볼 수 있을 것 같거든요

당신의 검정 스니커즈가
왼발이 먼저 나가는지 오른발이 먼저 나가는지

날씨는 예정대로 맑다가 예보대로 차차 흐려질 것인지

저는 그런 게 궁금하거든요

메타세쿼이아 끝이라 부른다면

한 번도 세계가 끝난 적 없는 메타세쿼이아가
끝이라고 말할 때가 온다면 서둘러야 하지 않을까
노을이 너의 이마에서 전부 저물기 전에

잡식성 어둠이 영혼을 먹어 치운다고 믿는 작은 늑골에게
메타세쿼이아 솔방울 이야기를 들려줄게

주위에 모닥불처럼 모여주겠니
하나도 위태롭지 않을 불멸의 음악이야
지금 타오르는 빛은 스캣 같아
우리들의 얼굴은 화사하고 정확해진다

솔방울은 말했지
봄과 여름에 훌쩍 자라고 가을엔 조금 자라
겨울에는 아무것도 자라지 않는다고

자라지 않는 건 정말 자라지 않는 걸까

다시 환한 아침이 찾아들어
서둘러 빛과 어둠의 균형을 맞추려는 수리부엉이 시계태엽

포악한 밤의 까마귀 떼를 삼켜준 모닥불이
서서히 몸을 낮추며 편지를 건네주었지

메타세쿼이아는 결국 죽지 않았어
메타세쿼이아는 죽지 않을 테니 이 세계엔 끝이 없다

다 카포, 다 카포*
너를 위해서

* 처음부터 되풀이하여 연주하라

복숭아 판나코타식 사랑 고백

들키고 싶지 않아서 점점 길어지는 커튼이 있어요
들키고 싶지 않아서 점점 길어지는 커튼이 있군요

서로가 품고 있던 노래 하나씩 소개해 줄까요
가사를 집중해서 들어봐요

들키고 싶어서 점점 짧아지는 커튼이 있대요
들키고 싶어서 점점 짧아지는 커튼이 있군요

복숭아 판나코타와 노란 튤립이
자작나무 탁자 위에 있어요

뜨거운 혀에서 차갑게 흩어지는 알갱이들
저는 이 달콤함을
오래전부터 상상하고 있었어요

당신의 노래가 좋아요
소중하게 느껴지네요

근처 수국 정원을 알고 있어요

같이 산책할까요

마지막 문학 선생님

이곳에 모인 사람들은
끝이 두려운 사람들이다

그렇다고
영원할 이유도
없는 사람들

홀로 정류장에 앉아
타지 않을 버스를 기다려본 사람들이다

그런 날들을 지나

마지막 문학 선생님은
낭독을 하고
낭독을 마치면
우리의 눈을 바라보며
말씀해주셨지

세상에 이토록 같은
이토록 다른

내일은 유원지에 가자 물푸레나무가 희망적인

감정에게 산책이라는 단어를 붙여주자
그건 느리고 아름다운 사색일 테니까
우리는 산책을 하자
이제부터 감정을 나누자는 말이 될 거야
때론 희망을 하자
물결이 바람의 손길에 돋아나는 것처럼
손가락 끝과 끝을 스칠 때가 온다면
내일은 유원지에 가자
어두운 혼잣말은 멈추고 대화하자
물푸레나무는 비밀을 들어줄 테니까
감정하며 산책하자
산책하며 감정하자
어디까지가 우리의 끝인지 알 수 없게
영원과 영원을 걷자

내가 슬퍼할까 당신이 먼저 말해주는 것들

유리잔, 안에 홍차 불그스름한
바스크 치즈케이크, 달고 까맣지만 부드러운
맞은편 당신, 좋아하는 것을 함께 하는

햇볕은 어슴푸레
결속에 빛과 그늘을 드리우고
당신이 꾸는 미래와
내가 머무는 과거가 교차하며
느리게 회전하는 지금이라는 순간

당신은 다 알고 있었다는 듯
고개를 끄덕이거나 길게 미소 짓거나
먼저 말하지 않아도 읽어주어서
나는 가끔
손아귀에 꽉 쥐어 숨겨둔 운명론을
무심코 흘려보내곤 하지

책은 두껍고 창문은 투명하여
서로의 어깨에 어지럽고 무거운 머리를 기댄다

아 어쩌나 속마음에서 멈추지 않는
생의 불확실함과 두려움… 그러나,

이대로 한 세기가 지나도 좋을 만큼
깨뜨릴 수 없는 단호한 믿음의 형태

연인이라는 온기와 예언들

바움쿠헨과 연인들

당신이 건네준 바움쿠헨 하나가 입으로
가볍다 이 식감은 단순하고 경쾌한 기분이 들어
바움쿠헨을 든 너의 손을 사랑해

흔치 않은 마음을 가졌구나
켜켜이 쌓여가는 순간들에 대해 알고 있구나
비정한 기다림을 견뎌본 얼굴이구나

위로는 짧고 간결하게
평화는 길고 복잡해야 하니까

걱정해주던 목소리는 부드럽다
순간 버터와 바닐라 향이 코끝을 스치지

환생하는 기분에 함께 있었으면 좋겠어
네가 건네는 하나의 언어에도
나는 백 가지 마음을 읽을 수 있으니까

결국 연인이 될 사람들
서로의 주위를 돌고 돌다가 그렇게

바움쿠헨, 바움쿠헨

입 안으로 들어간다

어느 감귤과 레몬 옐로 그러므로 식사와 사랑

고요하게 일그러지는 감귤의 식감
저녁을 음미하다가
떠올려본 당신이란 색감

궁금한 것은 많지만 참고 견디며
좋은 물음과 나쁜 물음
할 물음과 하지 않을 물음을 가름하며

진심을 담아 건네는 농담에
진심을 눈치채는 마음을
만날 수 있다면 어떨까

당신을 레몬 옐로 색으로 색칠한 다음
모든 걸 환하고 눈부시게,

어느 숲속 작은 집
지나치도록 포근한 바람과
무엇이 이토록 다정할까 싶은

참나무 장작 모닥불 그리고 새의 화음

브로콜리 스프와 호밀빵

오트밀 우유 호두 아몬드 말린 자두를 먹는다

곁에 앉아 조용히 한 입 뜨는 당신

산책하는 마음

오해를 이해하려 노력해본 적 있니 그런 적 없다면 세 시에 만나 함
께 걷자 미리 생각해둔 산책길이 있어

버드나무는 흔들리는데 바람은 멀리 있어 여름은 깨끗하고 호주머
니 속엔 메론맛 사탕이 있지

너의 마음 몇 가지를 알고 있어
이불 속으로 들어가 내내 나오지 않던 그늘도
스스로 문을 닫고서 열어주길 바랐던 못 미더운 마음조차도

그런데 내가 너의 마음을 알아도 되는 걸까

나는 이 산책을 읽고 너는 듣고 있지
풍경은 순간을 포착하려 하고
바람이 소소소 불어오면 우리가 기록된다는 생각을 한다
가벼워지려는 동작과 무겁게 남으려는 발자국

무슨 말을 꺼내야
이 기분을 이어갈 수 있을지에 대해 고민하고 있어

네 웃음은 틀린 적이 없다고 말해볼까
네가 하려는 말을 듣기도 전에 맞다고 끄덕일까
성급하지만 다정할 수 있는 마음들에 대해
나는 매일 시를 쓰고 있다고

고백하지 않고도 건네줄 수 있는 것이 있지
함께 걷는 그 시간 동안에

나의 산문집

어제 읽은 것이
에세이인지
문학인지
분간하지 못할 정도로

무엇이 이렇게
빼곡하게 아름다울까 싶던
글자들

전부 당신의 편지였다

나는 출판사를 차리고
마음을 엮지

아 읽는 즐거움

단 한 사람을 위한 산문

펼쳐서 읽는 순간 불어오는

작고 쑥스럽지만

꽉 찬 바람

2부

내가 낮고 작게 이야기할 때
네가 조금 운다는 걸 안다

영원이며 들녘인

정확한 죽음을 애원하는 밤이었어
영혼으로 찾아온다던 그 사람이
올 수 없게 됐다는
말을 전하고
환상을 시작했지

잊어야 해

잊어야 하니까

잘못한 건 없다고 말하려고

어뎄니

들녘에 착지하는 영혼들
저무는 태양에 집어삼켜지네
지겨운 기억은 싫다

들녘엔 어둠을 따라가지 못한 영혼이 남겨지고

국화잎을 떼어 내며 너는
몸이 죽지 않아 죽은 것이 많다고 얘기한다
우리가 나눈 인사가 조문의 예행이었단 걸 알게 된다

극적이지 않기 위해 노을의 순간은 존재하고
빛이 사그라들기 전 그 틈으로 들어가려 했던 네가
아직 내 곁에 있다는 것은

오사무 일기장의 마지막 희망은 유서였다

모든 걸 파괴하는 순간에도 나는 네가
어떤 표정을 짓는지 알지 못해 네 곁에 남겨진
유일한 사람이 아닐까

아무것도 하지 않으면 아무 일도 일어나지 않는다
세상엔 오해할 수 있는 문장이 많았다

언덕에 앉아 바람을 맞으면 언덕에 앉아 바람을 맞았고
눈을 감으면 눈을 뜨지 않았다

하나의 능욕처럼 솟은 언덕에서
"죄, 죄의 반의어는 뭘까. 이건 어렵다."*

죄의 반의어에 너의 이름을 불러도
언덕 그 어디에도 너는 없고

*다자이 오사무 〈인간실격〉 중

너 없는 불행으로 내린 눈이 설국이 될 때

저는 잘 잊어버려요

어제 눈이 내렸단 사실과 하얗고 창백한 풍경이
보이는 창문을요

잠깐만 지울 시간을 주세요

원망에 대한 일기를 썼어요
당신의 이름으로 시작한다는 게 괴로워서
비바람이나 안개 먹구름이라고 적다가

쓰러져버렸던 거예요

60년대 일본 작가들이 진열된 서가에서
저는 하얗고 순종적인 히스테리를 배웠어요
그중 하나를 읽어줄게요
당신을 닮은 이야기예요

'돌아오지 않는다 돌아오지 않겠다고 뒤돌아 섰으니까 흰 밤에 내리
는 눈발 헤아릴 수 없는 통증이 되고…….'

희고 신성한 언덕에서

저는 이만

떨어질 거예요

시월의 포플러

단정하게 채운 단추를
빳빳하게 켠 옷깃을
흐트러짐 없이 앉은 자세를 볼 때면

아무나 당신에게 눈길하지 않았으면 하는 나의
유난스러운 마음을 흔들면서

그건 나의 것이 아닌데
나의 것도 아닌데
누구나 시월의 포플러를 느끼고 있다는 것은
슬픈 일이 될 수 있구나

시월의 바람에 몸서리치는
포플러 잎사귀가
제 몸을 뒤틀어가며
세계와 결부될 수 없는 꿈을 꾸며
시선 깊은 곳으로 떨어진다

그건 나의 것이 아닌데
나의 것도 될 수 없는데

포플러와 江邊
희미함의 주변을 배회하네

혼탁한 계절

검정 코트 입고
빨간 우산 하나 나눠 쓰고
새하얀 거리를
걸어줄 수 있는지

낡은 엽서 한 장을 꺼냈다

당신은 내가 반드시 되찾을 풍경이라고

소격해진 사이였다

어떤 안부도
당신을 무겁게 해서는 안 되고

함박눈 내린
회양목 숲의 초입에서
기다리겠다는 것은

슬픔의 모든 다른 언어였다

모든 고통으로 지은 집

코트를 건네주셨습니다 아직 매서운 겨울바람도 아닌데
어깨 위에 앉은 낙엽을 털어주셨습니다 바스락거리는 체기가
느껴지게

우리가 속닥거리며 사포질한 나무는 겨울을 부드럽게
기억하게 되었습니다

분설이 내렸습니다 감색 스웨터를 입고 낮은 음조의 재즈를 틀고서
춤을 췄습니다 춤을

춤으로부터 가까워졌다가 춤으로부터 멀어졌습니다

어느 맨발로 가늘어지며
바람이 창틀 흔드는 소리 하나하나 지워갔습니다
서로의 무른 등을 주무르며 새벽까지
견주며 다가오는 슬픔을 마른 수건으로 닦아내어
이제는 창밖 전나무 숲을 볼 수 있었습니다

당신이 숲으로 멀어지는 동안 나는 꿈을 꾸어
기다란 적막을 이어갔습니다 그리고

습설이 내렸습니다 회색 스웨터를 입고 높은 음조의 재즈를
틀고서 춤을 췄습니다 춤을

춤으로부터 멀어졌다가 춤으로부터 희미해졌습니다

푸르스름한 새벽은 하늘에 투신하고
눈보라의 파고에 휩쓸려 눈을 뜨면
흰 기운이 가신 메마르고 척박한 땅

당신은 주저흔처럼 나와는 무관히 흐르고 있습니다

식물잠

저는 먼저 잠에서 깨어나야겠어요

당신이 연주회를 한다니 찾아가려고
배웅하지 못했던 게 겁이 났거든요
몬스테라 유칼립투스 작은 유주 나무가
당신에 대한 기억을 정화해 주고 있어요
실종되기로 했는데 저는 늘 실종이었던 거예요
꿈속 비명을 적으려 했지만
당신을 적은 연애편지가 될까 봐
분질러져 있기로 했죠
깨우기 위해 이마를 만져줬어요
등허리를 쓸어주기도
코끝과 코끝을 스치면서 토닥여주셨죠
제 외마디가 태어나는 바람에 풍경이 사산되네요
바이올린 소리는 서정으로 흐르고
음이 되지 못해 다물고 있는 입술 창백할까요
사정했던 밤에서 한 발짝도 벗어나지 못했네요

저는 먼저 잠에서 깨어나야겠어요

마지막 산책

누굴 생각하고 있어요

그 사람은 제가 꿈에 나왔대요

이야기는 전개해 주지 않았어요

기억나지 않는다고 했죠

숨기고 싶은 게 있었던 거예요

제가 어땠나요

기억나지 않더라도 기억을 잠깐만

숨기고 있는 그 지점을

알려주면 당신은 병드나요

어떤 증상이 가장 아픈가요

당신이 문을 닫고 들어간 방

함부로 문을 열면 나를 지울까요

화면 속 여자는 달리네요

달리다가 누군가를 향해 뒤돌아보네요

꿈의 일인칭으로 남고 싶어요

들려줄 수만 있다면.

진실된 빛이 내려요

지금 말해주지 않으면

지금 말하지 않으면

만난 적 없는 사람

우리가 만난 적 있다고 한다 미소를 건네며 알고 지낸 사람이라고 한다 알았던 걸까 우리가 만난 적이 있던 걸까 카페 식당 터미널 어느 길거리 어느 좌판 앞 어느 조악한 꽃이 핀 화단 울타리에서 나는 밝고 불분명한 기분에 사로잡힌다 우리가 만났다면 제가 그때 무슨 말을 해드렸나요 아무 말도 하지 않고 앉아 이기지 못하는 졸음과 운명을 떠안은 얼굴이었어요 단정하고 평범했군요 그나저나 저는 당신이 기억나지 않아요 신은 신발도 창백한 입술도 다 첫 느낌인 걸요 만났다는 건 오랜 시절의 일인 걸까요 이대로 걷다 보면 공원이 나와요 그곳엔 은행나무가 울창하지만 소음이 침입해 있어요 저는 희미해지려고 비가 내리면 미안해요 우리는 알지 못했던 사이 같아요

정체 감각

떠올리는 너의 얼굴 진짜일까
버텨보는데

전부 놓쳐지는 힘

혼잣말도 혼자 멈춰야 하는 일

잠들지 못한 날엔 야단을 맞았다
감은 눈으로 장대비가 쏟아졌다

반대로 난 속눈썹 때문에
눈을 감지 못하고
무질서한 당신에게 가는 길을 떠올렸다

겁 없이 한 발짝 다가와
겁먹고 달아나는 발자국 셀 수 없고

틈만 나면 사라지는 목덜미 희고 날렵해

어쩌다 또 약국까지 걸었다

파란 약 주세요 파란 약

낫지 않는 약

그를 삭제하는 가장 간단한 방법

넘치는 휴지통을 대신 비워주는 청소부는
어디서 고용할 수 있어?
그 사람이 필요한 밤이었는데
하나의 생각도 버리지 못하고
책상에 수북하게 쌓아둔 편지지가 있어서

나 당신의 그녀를 삭제하는 방법을 알고 있어

그에게 전해줄 편지를 썼지
밤을 새우며 지우고 또 지우며

나 당신을 삭제하는 방법을 알고 있어

휴지통엔 온통 진물 묻은 휴지와 냄새나는 것들뿐이야

말해줘 어디서 고용할 수 있어?
구더기가 편지지를 갉아 먹고 있어

이제 남은 것은

나 당신를 삭제 알고 있어

펄프 포엠

이 안엔 짧은 이야기가 없다
당신이 도망갈 거라는 확신은 있고
언제부터의 이야기를 시작하고 **있는지 모르겠다**
한 번 꺼낸 말은 혀가 끊겨야 끝날까
아니 아니야 날카로운 것에 목이 날아가야 해

말을 멈추기 위해서 아스팔트에 살이 쓸린다
제발 내 이야기를 **멈추게 해줘**
균형을 잃고 사정거리를 벗어나는 외침은
도대체 어디까지 용인받을 수 있나

당신의 이야기를 들려줄 수 있는지 묻고 싶어
주절거림과 머뭇거림의 경계를 끊어내듯이
단 한 번도 들려주지 않던 당신이 말을 **들려준다면**

혼잣말이 애인인 노숙자와 친구가 되고
벽을 보면서 벽의 마음을 이해하려 돌진하지
당신이 말을 해줄 때까지 그렇게

지저분하고 꺼칠꺼칠해진다

견딜 수 없는 기분이지만 헤어지고 **싶지는 않아**

권총과 장미

누가 저 사람 좀 말려줘요
뱉는 말마다 권총을 꺼내 들곤 하는 저 사람
장전해놓고 피습할 작정으로
뒷 호주머니에 권총을 들고 다닌단 말이에요
제가 들고 다니는 호신용 권총은 격발하는 순간
숨겨진 장미꽃이나 튀어나오는

거짓말 같은 프로포즈!

이건 나의 마음이고 그건 너의 마음이구나
알아서 피할 테니 뒤돌았을 때만 피해줘

부탁을 들어줬다면 총을 들고 다니진 않았겠지
날마다 어리석게 빌고 지는 기분

상처로 얼룩진 귀 쉬이 삼키지도 못 하는 말들
머리가 텅텅 울리는데 이곳은 왜 몰락의 파칭코니

날마다 총격질
비겁하지 권총과 장미의 싸움은

당신은 붉게 건네진 마음을 비웃고 사라진다

혈흔이 피어난 바닥에서 딸꾹질하며 웃는 여자

분명 어젯밤이었을

오늘이 아닐 거라 빈다 분명 오늘은 아닐 거라고 쩔쩔맨다 그 뒷모습을 기억하고 있는 것도 병이지 천둥 번개가 쳤다는 날씨까지 여름 장마가 시작되기 직전이었다고 떠올리는 것도 왜 죽지 않았을까 그날 이부자리에 들어가 오줌 싸는 꿈을 꾸고 아침에 일어나 이불을 죄다 버려버렸지 불결하니까 그런 기분은 오늘만 아니면 된다 오늘만 아니면 어제의 일이니까 어젯밤까지만 치졸했을 풍경이니 싹둑 잘라버리면 되는 거였으니까 어젯밤이라는 끈질긴 매듭을 어제라는 악몽은 더는 필요하지 않아 오늘이여야만 하는데 무수한 어제가 찾아오네 험악한 표정과 말투는 절대로 오늘이면 안 되는데

공기 인형 춤

춤을 추고 싶다 가볍게 사라지고 싶어

나는 모든 걸 지켜봐 줄 수 있는 길고 긴 마음을 가졌다 본 것에 대해
선 왜곡하지 않아 꾸준하다는 것이 무엇인지 잘 알고 있어 이제 어
떤 식으로 전해줘야 하나

자꾸 무언가는 실패하고 이어지지 않고 망가진 채 남게 되지만 그것
이 전부는 아니라고 이제 어떤 식으로 표현해야 하나 가려진 속마음
에서 널 찾고 부른다

신중하게 머뭇거리곤 해 그러다 가끔 이해되지 않을 난폭한 말들 속
에서 살고 있다 들어주는 것이 좋지만 말을 많이 하게 돼 이제 이 멀
고 먼 마음의 혼탁함을 어떻게 정화하면 좋나

네가 춤을 출 때 나는 고요한 깃발을 본다 보는 것만으로 전부를 가
져보곤 하지 하나하나가 욕망이 된다는 걸 느끼며

너의 팔선 목선 어깨선 다리선 몸선 아름답다
아름다움을 알게 되었는데 이제 어떻게 다가가야 하나

너라는 가냘픔을 알게 된 나는

3부

애인은 함박눈 내린 언덕을 노루처럼 달리고 있다
마음은 나누지 못하고

민감증

당신 복면 안으로 욕이나 해대는 줄 알았는데
노래도 흥얼거릴 줄 알았네요
실연당한 얼굴일 줄 알았는데
감미로운 웅덩이를 담아두고 있었네요
두렵고 아름다운 소리를
낼 수 있는 줄 몰랐어요

당신 파란만장하거나 우격다짐을 뱉을 줄 알았는데
무언가를 호소하고 있더군요
귀가 선호하는 활자의 리듬이 무엇인지
정확히 알고 있는 것처럼

이것은 귀의 문제 소리의 문제 아니면
마주침의 문제

귓가를 떠나지 못한 소리로 부작용을 앓고 있어요
입으로 귀를 만지면 기분이 좋나 보군요
당신의 노래는 왜 이렇게 길고 긴가요

다정하고 뜨거운 침

그게 나의 귀를 찌르나요, 아니면 마음을 찌르나요*

* 〈오이디푸스 왕〉 대사 각색

공주 모험 괴담1

연분홍색 실크 드레스를 입은 공주와
이웃 나라 왕자였을지도 모를 청록 개구리가 걷는다

어딜 보고 있는지 알 수 없는 개구리의 눈알

눈알의 뼈를 찾아보자 무너져내리는 기둥이 있어
공주는 중얼거렸다

공주의 맑은 호수가 지느러미처럼 흐느적거릴 때면
개구리는 당장 혀를 뻗고 싶었지만
물웅덩이가… 물웅덩이가…

공주를 업고 헤엄쳐야 했다

공주를 진실하게 사랑한 적 없는 왕자들의 욕정
단 한 번도 귀족인 적 없던 공주의 마음엔
억척스럽고 드센 물풀이 자라고 있었다

불결한 숙녀성을 갖고 태어나 거식증이나 앓는 공주

알고 있어 다른 여인이 눈에 띄는 순간 버림당하고 마는 것

센티멘털 유리창은 날마다 노래를 부르고
단 한 사람을 위한 시를 쓰고

달빛은 음악으로 내려 신음하고 악상 속에서 목매게 했네

살아도 사는 것이 아니야
살아도 사는 것이 아닌 삶의 목줄은 누가 쥐고 있을까

성 바깥은 칠흑의 어둠뿐이었지만
수음하는 은하수를 보여주었다
하녀와 동생들은 이제 곁에 없었지만
마구간 같은 거친 사랑을 이해하게 만들고

욕망이란 숨기는 순간 아무것도 아니게 되는군
눅눅한 비밀일기 바삭한 러브 레터처럼 은폐될 뿐이구나

사랑할까 사랑해 볼까

공주는 개구리 등에서 깜빡 잠이 들었다

공주 모험 괴담2

세상은 잘못 기워진 엠파이어 드레스 같아요
청혼자도 없이 드레스나 물려받는 공주 이야기를 들려 드릴게요

여러 진창과 구석을 경험했지 값진 경험이었어

진심이니 묻고 싶었지만 알고 있었어

스스로를 동정하고 위로하는 말투였다는 걸
슬픔이 제멋대로 흥얼거리는 고장 난 입이라는 걸

누군가의 마음을 아프게 했다면 어떤 벌을 받을까요
추방되어 늙은 유모를 찾아가
제가 더 아팠던 마음에 대해 고백하면 될까요
불구덩이 속에서 녹아내린 심장 전부를요

코르셋으로도 어쩌지 못할 외로움이 삐져나온 날에
공주는 두 다리를 뻗고 흔들고 울고 엎드려 절망했네

왕자란 왕자는 모두 싫어 싫다니까
감정도 없는 백마 저질 왕자를 어떻게 겪안으란 말이야

진실한 사랑을 달란 말이야 진실한 사랑을

사랑이 뜯어진 세계엔 능숙한 수선공도 없네

손가락 구멍만 한 문으로
도대체 누굴 사랑할 수 있느냐 말이야

왕자 모험 괴담1

시련이 짓궂게 찾아드는 북쪽 나라 왕자는 더 넓고 큰 세계를 보고
싶었다 우선 사랑에 실패했으니 더는 공주를 찾아갈 수 없었다

나는 네게 다이아몬드 귀걸이 루비 목걸이를 전부 바칠 수 있는 마음
을 가졌다 그런데 누구에게 애원해야 하지 이 마음의 순정은

생각을 이어가다 홧김에 돌멩이를 발로 찬 왕자
그마저도 헛디뎌 넘어졌다

마음이란 건 건넬 곳도 없고 기댈 곳도 없구나
욕망하는 그녀는 왜 나를 무시하여 무시무시하게 만들까
아름다움에 굴복하는 이 태도는 도대체
언제부터 나를 괴롭힌 건지 알 수가 없네

밤마다 세레나데를 불러도 돌아오는 건
냉담한 음악과 넘으려야 넘을 수 없는 울타리 너머 꽃밭
틔워진 마음 오갈 곳 없이 어두워지기만 했다

나는 네게 다 줄 수 있는데 너는 너의 마음
그 하나를 나에게 주지 않는구나

다른 세계로 가야했다

더는 사랑에 무릎 꿇지 않아도 되는 세계로

명마를 타고 왕자는 그렇게

깊고 장엄한 자작나무 숲으로 달려갔다

왕자 모험 괴담2

자작나무 숲의 입구에서 어둠에 집어삼켜지기 전 집착을 모두 벗어
내야 했다 멋대로 초과되는 마음을 불태우고 그녀의 오만한 표정 하
나하나를 발바닥으로 짓누르며 괴한이 되는 것은 순식간,

결국 그녀와 혼례를 치를 남자는 누굴까

불손하게 떠진 눈 몇 개를 도려내야 했다
기둥 전체가 무너질 것 같았다
떠나면서도 계속 떠나야만 하는 이 모험담은 비극

왕자의 체통과 권위 그리고 굳건하거나 순수한 검은 심장
선인장에 돋아나는 가시를 빼고 이제는 잊어야 하지

혼기에 찬 여인들의 무수한 구애
마음에 차지도 않는 여인들의 루즈 바른 입술을 볼 때면
세상은 왜 이렇게 기괴스러운 장면만 있는지
희고 고운 피부를 가진 귀여운 여인은
정녕 나를 사랑하지 않는 걸까

비참한 외로움은 수시로 눈을 뜬다

어디로 가야 하는지 알고 있지만

아무 곳도 갈 수 없는

성과 섬

(관심도 없는 그 여자의 시선이 무섭다 나이를 먹고도 늙지 않는 그
여자가 두려워)

왕성한 왕자는 욕정을 발설하지 못해 투덜대는 일이 잦아졌다
누구에게 선인장꽃을 틔워달라 애원할까 고민했다
가시덤불 속을 걸으며 자신을 지켜줄 상처 투성의 공주가 필요했다
이왕이면 만나기 전부터 상처가 많으면 좋았다

공주의 말캉한 사타구니 안에 숨어서
바깥에서 구타당하고 돌아온 화를 집요하게 박음질할 때면
이웃 나라에 히아신스 향을 풍기는 공주가 이따금 떠오른다고

이곳은… 성일까 섬일까…

때마침 보빈 레이스 구름이 달을 가렸다
왕자가 사라진 뒤 평생 ㅅ에 갇힐 여인은 누굴까

다리와 다리 사이 촘촘히 박힌 가시
가시에서 자라난 거대한 뿔들이 온몸 곳곳에
기생하는 그곳은

서
음

바바리맨 앤 바바리걸

비가 내리는 날 비가 죽도록 내려서
사람들은 우산 안으로 숨고
구름은 한 번의 뭉침 없이 흩어지고
창문 안 사람들은 밖을 보지 않으려고 한다

나는 너에게 망해주고 싶은 게 있었어

단지 눈을 떴을 뿐인데 빛이 파고드는 자세가
굵고 괴팍했지만 참을만했고
침대에 누워서
살갗이 서로를 사랑하며 괴롭힌다고 우겨다짐

단추와 지퍼가 없는 옷이라든가
절대로 벗겨지지 않는 점프슈트를 찾아다녔지

비가 내려서 죽도록 비가 내리는 날에 당신은 울부짖네
자신이 상처 남지 않게 때리는 법을 알고 있다고

장대비는 누굴 손찌검하기 위해 내리는 걸까

너의 뒷모습 추하고 밋밋한데

앞모습 흉측하며 넓고 검붉은데 푸르르다

캠프

누굴 좋아해 이 중에서 제일 싫어하는 사람은 누구야 그러니까 절대적으로 머릿속에 누군가가 가득 찬 적 있는지 묻고 싶어 버리고 싶은데도 그럴 수 없는 고통 매분 매초가 환시인 그런 거 말이야 그 사람 곁을 서성이는 누군갈 죽이려는 생각도 해본 적 있는지 가장 목 조르고 싶은 사람은 누굴까 흑장미 흑기사 구원자들이 손을 드는 밤이네 말해 봐 드러눕혀서 만지고 싶은 사람은 누군지 같이 환해질래 어린 마음이 싫어 추워지는 것 같아 너를 보면 물기를 머금은 장작 불같아 외롭다 우리가 왜 이 새벽까지 잠들지 않는지에 대해 나만 아는 걸까 나만 알고 있는 걸까 이제 방에 들어가자 방에 가서 다른 소리로 얘기하자 한 번도 경험한 적 없는 그런 거 왜 보이지 않을까 다른 손을 잡고 나가버린 너 새벽은 냉담해 나의 전소되는 마음들

이상형 애인

병에 대해 이야기하는 것도 나쁘지 않겠다
모든 것을 다르게 감각하는 중이었다
계단이 머리통이라던가 머리통이 의자라던가
의자가 종이컵이라든가
그 사람의 관심을 들어주기 힘들었다라든가
때마침 창밖으로 지나가는 이상형 애인
떠다니는 불결한 눈동자 가로수에 부딪친다
이상형 애인은 어디를 가고 있는 중인가
상냥하게 구는 여자의 어금니 왜 잘게 부서지고
창밖을 지나가는 개 눈동자에 오줌을 누고 가는가
이상형 애인을 따라가다 넘어져 뇌진탕에 걸린
정수리 위에 잎사귀 몇 개를 얹고
풍수 같은 웃음을 떨어본다,라든가
이상형 애인은 누구를 만나러 가는가
우리는 불행하게 왜 서로를 마주 보고 앉아 있는가
관심도 없는 사람의 말을 경청하며
이상형 애인의 행선지는 알지도 못한 채
따분한 하품도 오해받을 관능일 수 있단다
이 불쾌한 시간은 어디서 보상받아야 할까
이상형 애인을 쫓아가야 한다
이상형 애인은 나를 구해줄 것이다

그녀를 이용해 그녀를 무너뜨릴 그의 전략

기쁨은 이해할 수 없어

누군가의 기쁨을 이용하는 기쁨

그녀와 그녀가 그를 원하는데

그가 그녀들을 이용하는 기쁨

누굴 타오르게 하고 싶은지 묻고 싶지만

지저분하게 참아보는 물음

욕망이 간지러울 때마다 부러지는 성냥

사랑은 왜 죄다 誤點火니

다정큼나무

애초에 나뭇잎이 아니었어도 될 이야기가 순간을 넘기지 못해 비쩍 곯은 그늘 구석이나 곪어댔다 나뭇잎이 쌓이자 누군가 그 아래 시체를 숨기고 사라졌다 문제는 그녀의 미소가 뼈가 삭을 정도로 상냥했다는 것이고 그를 자주 머뭇거리게 했던 하얀 밤이 이어지자 벌판으로 달려가고 싶다는 거였다

그는 신중한 나뭇잎 몇 개를 가지고 있다 나뭇잎의 종류는 다양하지 않지만 절묘하게도 단 한 사람의 것이다 간밤 그는 애인이 될 사람을 떠올리다 노트 한 권을 다 썼다 지렁이 같은 마음이 단 한 군데도 흐릿하지 않았다 대신 누가 열어볼 수 없도록 서랍을 하나 구매한 듯했다 아무도 서랍을 열지 않자 그는 서랍을 부쉈고 계속해서 나뭇잎이 쌓여가자 집 밖으로 뛰쳐나갔다 하나의 사랑니가 단숨에 열 개가 되기도 해서 더는 맨정신으로 나뭇잎을 발음할 수 없었다

수레바퀴 입은 구르고 또 굴렀다 이 나뭇잎을 언제 얘기한담 하는 의문이 들자 팔랑거리는 귀들이 전부 멈춰 선 채 귀를 쫑긋 세웠다 아무도 그의 나뭇잎을 거들떠보지 않았지만 그는 불침번까지 서가며 미련하게 굴었다

제가 이 나뭇잎을 언제부터 알게 됐는지는 몰라요 아무것도 모르

는데 뱉을 수가 없어요 꼭 이게 음악이 될 수 없단 걸 알고 있는 것
같아요

어금니의 충치 미소나 지으며 라이터를 켰다 껐다 불 끝이 흔들릴 때마다 그녀의 상냥한 미소가 아른거렸다 분명 이럴 일까지는 아니었다 나뭇잎을 태우려 했지만 불을 붙일 수 없었다 나뭇잎은 또다시 쌓여만 가고 그저 하나의 시체를 덮고 그 위에 또 다른 시체를 덮을 수 있을 정도로 수북해져 간다

나뭇잎 따위를 들이는 게 아니었어 이렇게까지 말썽을 부릴 줄은 몰랐어 그런데 이 시체는 그녀를 닮았구나

나뭇잎이 나뭇잎으로 번식하고 나뭇잎이 나뭇잎으로 이어져 단 하나의 나뭇잎도 태우지 못했다 기울어진 그의 얼굴이 애인도 되지 못할 사람의 말라붙은 시체 아래로 떨어졌다

판타지 소년 소녀

불쌍해 현실에 기생하는 늙은이들 분비물이나 쌓아가는 머리통은 쓸모가 없다 피어싱이나 뚫고 치마 길이나 줄이지 그럴 시간에

이 타투 어때? 해골이랑 악마 도안을 가져갔는데 나보고 넌 원래 해골이랑 악마가 아니냐고 묻잖아 웃기지도 않지 더러운 타투이스트 제 몸에 제 혼자 싸는

어제는 사랑을 나누는 꿈이어서 재미가 없었어
진짜 재밌는 건 사랑을
나누는 꿈인데

담배 연기로 도넛을 만들어줘 거기에 내 약지를 끼워볼게 우리 결혼하는 거야 정확하게 임신은 세 번 한 명은 사산하고 아들 둘을 낳고 파혼할 거야 이보다 나은 선택이 있을까

회까닥 회까닥 어른들은 손가락질했고 알지도 못하면서 그 입 다무세요 너는 또 돌격한다 그러지 말자 아무것도 모르는 사람들이잖아 밑천도 없으니까 구멍에 덧댈 천이나 구하러 다니는 사람들

우린 참아야 해 환상이란 건 참는 거야

눈 감고도 날 찾을 수 있겠어? 수많은 여고생 사이에서 나를 골라 봐
잠깐만 이미 골랐다니 나는 여기 있는데

돌아와야 해
눈을 뜨면 우린 둘밖에 없으니까 어서 손잡아 줘

그리고 영원히 절대 놓지 마

큐티 프리티 걸스 앤 힙합

사랑은 핫핑크이거나 버건디거나 발그스레하기만 한
더는 생리가 나오지 않아 건조해진 면 팬티라든가
불쑥과 불룩 튀어나온 아랫배와 전화를 받지 않는
비뚤어진 교복 차림의 미성숙 소년 소문 없이 사라진
딴따라 양아치 아이의 유일했던 도망친 혈육이라든가

인디 펑크를 인디 펑크라고 읽는 소녀가 전화한 곳은 바로
걸스 앤 힙합 그리고 육두문자 타투 교습소
캬악 퉤퉤퉤 퉤 퉤 퉤퉤퉤 비트처럼 울리는 가래 끓는 소리
심장이 두근거리는 어디서도 듣지 못했던 아름다운 울림

다른 세상을 보여줄게 다른 세상
각별하고 퇴폐적인
이곳에 진정한 사랑이 있단 걸 말이야

눈썹 얇은 피어싱 무리가 나타나 담배 연기를 뻐끔대며
내 이름은 나나 그리고 이 친구 이름은 에릭 네 이름은 뭐니?

이름…… 저는 이름이 없어요 이 얇은 뱃가죽 속엔 아이가 있지만
아이의 이름은 해피happy예요

해피happy? 깔깔깔 배를 잡고 웃는 나나와 에릭의 뒤로 보이는 기묘하게 아픈 풍경

오락실 펀치 기계 앞에서 시끄럽게 구는 입이란 입을 모조리 생각하고 코인 노래방에서 담배를 태워 쫓겨나고 나나와 에릭은 시도 때도 없이 사랑의 코인을 교환하지

주인장에게 쫓겨나 내달리면서도 아이, 아이는 엄마의 콧대와 얄쌍한 눈매를 닮으면 근사하겠구나 미미와 에릭이 방긋 웃으며 말했다 아빠, 아빠는 돌아오지 않는다면 그냥 죽여버려

허리가 뒤틀리는 복통이 찾아오는 밤이면 새끼 밴 들묘 한 마리가 무겁게 지붕을 밟으며 도망 다니고 이 괴로움을 책임져야 하는 날엔 머리카락을 다 쥐어뜯어 버려서 까까 대머리가 돼 버릴 것 같다 누굴 찾아가 멱살이라도 잡고 싶은데

대체 왜 아무도 생각이 나지 않을까

나나 에릭 내가 처음 이야기한다
너희를 만난 건 이건 내가 한 번도 느껴본 적 없는 자유야
간혹 엄마가 된다는 것보다 더 두려운 건

더 이상 내가 나일 수 없다는 것

더 나은 내일이 찾아와도 나는 영원히 무거울 거라는 것
이 삶이 어떻게 끝날지 모르지만 너희를 만나
다행이라는 말조차 슬프고 조심스럽단 생각을 해

나나와 에릭 너희는
온종일 원망으로 가득 찬 원수처럼 싸우면서도

언제나

서로의 곁을 지켜주는구나

신소녀장전(新少女長展)

과적화물

과도와 사시미가 서로를 향해 있다 누구의 원망이 더 서늘할까 가늠하면 더는 버티지 못할 것 같아 제 심장을 썰어버린 사람 시커먼 동공 아래 당장이라도 떨어질 듯한 절벽 밑으로 흩날리는 흙먼지를 알고 있는지 머리 위로 원치 않는 무언가가 계속 쌓여갈 때

무거움으로 시작한 이야기는 가볍게 끝난다 무게 지지 않고 떠나려는 사람의 뒷모습엔 미련과 머뭇거림 울음과 조소 혹은 이런 것들이 아예 없는 세계

계속된 폭우를 무시했다면 천둥 번개를 목젖에 찍어 누르지 않았다면 미처 초과된 채로 웃었다기보다는

적체시절

발육 과정에서 부풀어버린 심장은 사랑을 찾아 나서기 위해 거리로 나섰네 훌륭하게 망가진 나의 교복 너는 내가 어떻게 무너

지는지 아는 것 같아 공든 탑이랄 것은 없었지만 버틴다는 말이
분필처럼 가까스로 마음에 남아주어서 흐르지 못했다고 썩는
건 아니더라 그런 건 이 세계에 없는 인과율

쏟아지는 물컵이 지금을 넘치게 만들고 오갈 데 없이 홍건해지
기만 하는 것

누란지위

엄마의 온갖 물감을 다 묻히고 나온 아이 포도 주스 탱크는 터
져버렸다 축복과 저주는 눈썹의 위치에 따라 달라지는 거였는
데 품에 안긴 것은 毛도 없고 뭣도 없는 아이 누군가 팔짱을 끼
고 돌아서는 상처는 지워지지도 않는다

너의 위태로움이 나의 위태로움이 되지 않게 해줘

병들어 누워있을 때 수액이 한 방울도 남지 않아 통로를 지운다

명푼웃음

과도와 사시미가 부딪혔다 곧장 두 동강 날 연약함이라고 생각
했는데 버텼다는 것이 사람을 강하게 만들고 벽으로 몰아붙여
져서 목 앞 칼날이 바들바들 떨고 있네 두렵니 찌른다면 찔러야
지 무엇이 너를 작아지게 만드니 너라는 죄를 남겨두기 위해 내
가 대신 죽는다면 어떨까

지금 웃으면 세상이 조금은 내 편이 되어 있을 것 같아 목젖 뒤
로 유유히 파고 들어가는 웃음과 삼키려면 지독하게 삼켜지는
울음

이제 어둠이란 단어가 없는 터널 속으로 간다 소녀는 발견되지
않았지만 그곳에서도 발육했다 눈물이 번진 마스카라 자국과
벽에 덕지덕지 붙은 쌍꺼풀 테이프 멍빛 틴트

담뱃불에 지져지며 웃는 소녀 해피를 낳고 해피

4부

주머니 속엔 투시경이 있다
안 보여 안 보여 말할 순 없으니까
고민 없는 표정은 꺼내기도
읽기도 쓰기도 싫어서
떠오른 악상은 들녘에 남겼다

조난의 자세

인격이 없는 것들만 위로할 수 있지
소식을 듣고 몰려온 유령들과 어제 먹은 말차 크림 라떼

언어 없는 마음으로 감정을 지우겠다는데
무슨 문제가 있니?

엊그제 누가 오물을 던지고 도망갔는지 모르겠어
환한 얼굴이 금세 얼룩덜룩해졌다

무너지지 않을 정도만 위로하고 빠져나오는 골목길

시야가 흐려지는 기분

인격이 없는 것들하고만 어울려 놀지
말이 통하지 않는 것들하고만 말이 통하지

침대 의자 책상 연필 컴퓨터가 혈육이자 친구
젤리 사탕 크림빵 와플 감자칩이 혈육이자 친구

문 닫힌 방

열리지 않는 창문

유일한 희망

우울섬 조난 일기

함부르크 하코다테
가본 적 없이 그리운 함부르크 하코다테

세상의 흉측으로부터 도망간 발자국으로
일기를 씀

벗어난다는 건 또다시 갇히겠다는

대화하지 않고 목이 쉰 새벽이었고
두드림이 없이도 열어보는 문과
하루 사이 죽은 햄스터

가능한 마음을 갖는 것도
인간의 말썽 중 하나

섬은 함부르크 하코다테
모래사장은 갈증의 가장 절박한 정의
구조될 수 있다는 오해와 착각

먹구름 위로 헬기 소리

외딴 비 외딴 비 외딴 비

적음과 젖음

얕은 물

간밤 내린 비 웅덩이였다
L은 수영을 하기 위해 밖으로 나섰다

이웃집 아저씨가 다가와 말했다
- 네 물의 깊이를 봐 비참하지 않니

L은 아랑곳하지 않고 다음날
다이빙을 하기 위해 밖으로 나섰다

이웃집 아저씨가 다가와 말했다
- 이봐 L 그깟 물에서는 다이빙을 할 수 없어

이튿날 L은 해수욕을 하기 위해 밖으로 나섰다

이웃집 아저씨가 L의 팔목을 잡았다
- 햇빛에 웅덩이가 마르기 시작하지? 관두는 게 좋을 거야

물장구를 치던 L이 말했다

- 지구에서 단 한 번 밀어준다는 파도를 기다리고 있어요
방해하지 마세요

각본 탈출

이 방에는 창이 하나 있다 가늠하자면 손바닥만 하다
손바닥이 크고 작고의 문제는 아니다

창밖에는 자작나무가 보인다
빛이 들기 시작하면 자작나무는 방의 끝과 끝을 가른다

방에서의 방과 방
침대에서의 침대와 침대
서랍에서의 서랍과 서랍

사실 그건 자작나무가 아닐지도 모른다

남자는 두더지를 애완용으로 키우는 정우 역에 캐스팅됐다

정우: 내가 그 사람과 악수하려 했는데 손이 잘렸고
정우: 포옹하려는데 팔이 부러졌고
정우: 키스하려는데 입술이 떨어져 나갔다
정우: 빛은 늘 그런 식이다
정우: 반갑게 인사하고 싶었는데 목소리가 지워졌다
정우: 데리고 와보니 훌륭한 두더지는 아니었고
정우: 갇히는 건 시간 문제에 불과하지

감독은 두더지를 열 마리 아니 스무 마리나 키운다고 했다
자꾸 태어나서

죽이지 못해 데리고 살며
이제 방에 한가득 차버렸는데 보이는 두더지는 없단다

각본이 유지되기 위해선 적어도 하나의 창문이 필요하다
빛은 늘 오후 4시 43분
균형 잡히지 않은 대각선이자 포물선으로 내린다

두더지가 뛰쳐나온다 하나 둘... 열... 서른... 백사십....
눈에 보이는 것만 셀 수 있는 건 아니다

그건 자작나무가 아닐지 모르지만 일단 자작나무라고 부른다
나무 그늘이 열쇠 구멍에 닿아 있다
빛의 끄트머리
조금 더

조금 더

구름이 태양을 가린다

장서점검

당신이 알려준 노래를
반복 재생하며 걷는다
날아오를 것 같은
충동에 사로잡힌다
먼지라는 건 누구에게나
쌓이는 영혼의 각질일지도 모른다
스니커즈 뒤축을 깔아뭉개도
걸을 수 있는 건
뒤축을 제외한 모든 것이
균형을 맞추기 때문일 것이다
헐거워 보이는 계절의 구름조차
그 속은 매캐한 사투여서
이대로 끝난다는 건
말도 안 되는 일이다
자신의 불확실한 손바닥을
정독할 줄 아는 사람은
모서리에서 모서리까지,
가장자리에서 가장자리까지
매달려 있어야 한다
주어진 악다구니를

길게 볼 줄 알아야 한다
꺼내지지 않는다고
그렇게 긴 울음을
울 필요는 없는 것이다

분열 코드 21

벗어나자 서로를 껴안아 주던
느낌으로
벗어날 수 있어
풍경은 얇은 천막이거든

어느 화가가 그린
실현 불가능의 세계거든

봐봐 구름이 멈춰있잖아
여기서 나갈 수 있어

이 증상을 믿어줘

이곳은 가짜
여름 실종

허물어진다

우리가 종말의 유일한 생존자였으면 좋겠다

벗어나지 못한 새벽만 되풀이되네

나는 매일 잠에서 깬다

그런데

잠든 적은 없다

크럼핑

몸 밖으로 튀어 올랐다가 가까스로 수납된 사람이 떨어진 물건을 가방에 집어넣으며 말했다 제가 13시 58분에 당신에게 건너갔던가요 함께 폐허 판타지를 보러 가기로 했습니다

열차에 올랐다

누구나 이런 동작 하나쯤은 있지 않느냐 검표사가 물었다 그 동작을 아는 사람만이 폐허 판타지에 들어갈 수 있다고 했다

가슴팍에 수납해둔 해머를 꺼내 던지기 시작하고 갈비뼈 속 종유석을 뿌리째 뽑아 마구 밟아대고 던지고 밟은 만큼 다시 제 안으로 집어넣고

검표사는 고개를 끄덕였다

당신은 본능을 초과하고 있지만 그 본능을 철저한 통제 속에 흐르게 하고 있군요 붕괴되는 척하면서 단 한 군데도 어긋나지 않았군요 입장해도 좋습니다

눈알이 다리에서 깜빡이고 다리가 심장에 붙어 걷고 있었다 세계

가 규정해둔 동작은 절대로 하지 않을 거다

  제 몸 밖으로 튀어 오른 사람이 가까스로 몸을 안으로 욱여넣으며 말했다 제가 22시 58분 당신에게서 빠져나왔나요 함께 폐허 판타지를 벗어나 드디어 판타지행 열차를 타기로 했습니다

  판타지행 열차 연착 시간은 자그마치 백만 년이군요…….

금서

그 시대는 되풀이되고,
간혹 미치광이들이 살사를 추거나
아예 추지 않거나
구걸하던 별종 거지조차
궁중 무도회에 참여하기 위해
바버 숍을 다녀왔을지도
중세시대적이거나
르네상스 섹스
달밤을 거닐었지
걷지도 못하는 절름발이 애인과 함께
걷지 못하는 건 나쁘지 않은 것
진정 나쁜 건 걷지 못하는 척
부러진 무릎을 흉내 내는 것
그래서 사랑을 했느냐 묻고 싶다면
걸음아 나 살려라 달음박질이나 해대는
애인의 뒤꽁무니를 보면
사랑이란 하는 것이 아니라 받치는 것
선택지는 절망뿐인데도
망한 사람은 없고
망가지기만 한 인류의 기록이 있다

읽어주자니 잔혹하고
외면하자니 외로운

거룩한 오판

잘 되지도 못할 마음이나 품고 사는 사람은
곧장이라도 달려가려고
그 사람에게 달려가 다크서클의 음흉 편지나
겁도 없는 포옹을 건네주려 했지만

올려보는 창문은 불투명하고 방음벽은 치솟아
공허한 텅 빈 굴뚝은

악질 스토킹 파발마 시한폭탄이다

인간의 마음을 외면하는 것이 위법으로 정해진다면
반드시 투철해지기로
해부했던 흰 밤과 삼켰던 모멸을 떠올리며

무서운 심판을 기다리고 있다

재판관은 사방팔방 교미나 해대는
저승의 개를 단속하며

이건 검정 스타킹 복면의 냄새

멀리서 판봉이 두개골을 깰 듯
나의 실패와 허물을 배심하며

패소 패소
발가벗겨진다

이거 재채기예요

사람들은 이런 소개를 믿는다
이거 제 책이에요

그럴 때마다 영혼에서 터져 나오는 재채기
코끝이 간지럽고 누렇고 점액질인 콧물이
터져 나올 기세의 기침

예쁜 이마가 겸허해진다

저에게는 아포리아가 있고 아리아가 있지만
중쇄가 없는 초판본으로 살아야 한다는 것을
알고 있어요

산다는 것은 모두 거짓이고
살아낸다는 것은 어느 정도의 진실

재채기에서 목련 향이 났으면 좋겠어요

이거 제 책입니다

지금까지

저도 모르는 사이 터져 나온
재채기였습니다

미래의 책

예언과 목숨

아직은 때가 되지 않은

목숨은 제물

단상에 올라가 헛기침을 하는

두 쪽으로 갈라지는 책

무엇이 적혀 있을까에 대한

사람들의 소문과 웅성거림

보잘것없는 문장

어느 터키 잡상인이 소개하는 한 권

펼쳐 본 순간 알게 된다

미래를 적어 놓았구나

첫 장엔 이렇게 적혀 있다

부름이라기엔 절박했던 혼잣말

터키 잡상인은 말한다

유일한 질문으로 시작된 말씀

출처를 알 수 없는

낡고 강한 신념

결국 손에 쥔 책

몰락하는 황혼 아래서

고백하건대 트랙을 도는 밤이었어요

고백하건대 트랙을 도는 밤이었어요

나는 나의 마음을 제대로 아는 것이 없다 그것이 내가 가진 가장 멍청한 구석이지 속마음으로 들려오는 말들을 전부 듣고서 어지러웠던 밤이었다고 기억하죠 이 트랙을 정확히 몇 바퀴 돌았는지도 몰라요 잊을 때까지 돌기로 해놓고는 숫자를 세지 않았다는 것도 문제인 걸요 지하에서 울리는 밴드의 합주 베이스 드럼 기타는 현란하게 누군가 그어놓은 밑줄을 연주하고 있어요 그것을 왜 음으로 만들려고 하는지 아무도 몰라요 화음이 되기까지 노력하는 사람들 미래는 보장되지 않으며 시중에 쥐어지는 돈 한 푼 없고 사는 사람들은 어쩔 수 없어요 산다면 사는 수밖엔 그 사람들이 모두 아직까진 살고 있어요 살고 있다는 것은 인류적 문제인 셈인데 누구도 측은해줄 생각은 없어요 극복해야 할 것이 있다면 전부 슬픔에 관한 것 이 디스코그래피는 우울해요

달리다가 깨달은 것은 방금까지 걸었다는 사실인 걸요

누구한테 말도 제대로 못 하니까 주저리주저리 길어지죠 이 트랙처럼 칭찬을 모욕으로 바꾸는 능력을 타고 났다면 어쩔 수 없

죠 걷는 수밖에 남들은 알아 내지도 못하는 인기척을 느낀다면 그 또
한 입 다물고 걷는 수밖에

그러나 결국 트랙일 뿐인 걸요
제가 어디서부터 어떻게 벗어나지 못하고 있는지 알려주는 트랙

들어온 사람도 자신이며 나갈 수 없는 사람도 자신인

돌연 소름 끼치도록 무서운 장면이 반복되는데

불행 중 다행으로 트랙이군요
아니 다행 중 불행으로 트랙이군요
빨리 오라고 손짓하는 사람도 없고 멈추라고 훈수 두는 사람도 없는
다행히도 자정을 넘지 않은 00:00의 일시 정지 감정

전하고 싶은 이야기는 없지만 만들어야 하죠 합주실에서는 베이스
드럼 기타가 악기를 들고 가끔 서로를 때리곤 한답니다 그런 소리가
난다면 재빨리 적어야 하죠 깨지고 무너지는 세상에 없던 소리가 탄
생하는 시간이니까 악보에 적을 수 없는 바로 그것 밀담처럼 희끗거
리는 존재하지 않으려 몸부림치던 소리

그러나 그러합니까

그것이 가장 큰 시련이자 문제에요

건망증 나라에서 온 언니

물고기가 나를 언니라고 부르기 시작했다

언니는 저희의 의미이고 희망이에요 다르게 호흡하는 법을 익혀서 수족관 밖으로 나갔군요 이끼가 껴대서 우리는 점점 느려지고 있어요 불투명한 그림자는 우리의 빛을 차단하고 값싼 말투로 이 진심을 전부 왜곡하네요

부디 먹이로 사육당했던 기분에 대해선 잊지 말아주세요 수족관에 대해 적을 날만을 기다렸지만 이젠 언니만이 할 수 있는 일에 대해 사람들은 들어줄 거고 껴안아 줄 거예요

우리의 세계에 얼마나 많은 홍수가 들이찼는지에 대해

이 비좁은 곳에서 다른 꿈을 꿨던 사람들이 자갈로 돌진하거나 수면 위로 머리를 내놓거나 우리는 3초를 기억하겠지만 언니는 3초만 잊고 이 모든 걸 다 기억해줘요

물고기가 하는 말을 전부 알아들었다 믿을 수 없을 정도로 선명한 외침이었다

나는 물고기의 언니 담배도 태우지 않고 술도 못 마시는 사교적이지도 못하고 욕이 들려오면 욕을 듣는 문신도 없고 울음도 혼자 몰래 숨어서 울며 괴롭힘에 관한 저항도 없는 수족관 속 도서관만 다녔던 불쌍하기만 한 아름다운 언니

매일 오해와 이해의 자갈밭 속을 뒹굴던

난폭하지만 밉지 않고 저속하지만 명랑한 똑똑하면서도 순진하기만 한 언니를 이제 누가 지켜줘야 하나 아니 감히 누가 그녀를 지킬 수 있을까

다시 3초

삐-어-끔

언니는 더 큰 수족관으로 왔어 세상은 영원히 수족관일 뿐이야

복숭아 판나코타식 사랑 고백

초판 1쇄 발행	2022년 5월 27일
초판 1쇄 인쇄	2022년 5월 27일

지은이	이음

책임편집	송세아
편집	안소라
디자인	theambitious factory
마케팅	시절인연
제작	김소은
관리	김한다 전현주
인쇄	아레스트

펴낸곳	도서출판 꿈공장플러스
출판등록	제 406-2017-000160호
주소	서울시 성북구 보국문로 16가길 43-20 꿈공장 1층

이메일	ceo@dreambooks.kr
홈페이지	www.dreambooks.kr
인스타그램	@dreambooks.ceo

전화번호	02-6012-2734
팩스	031-624-4527

ISBN	979-11-92134-16-1
정가	12,000원